Schöne Welt in Farbe

David Gibbon

HUNDE

mit 79 Farbfotos

Herausgegeben von Ted Smart

Über Hunde sind viele Bücher geschrieben worden. Manche in Form einer gelehrten Abhandlung aller möglichen Gesichtspunkte des umfangreichen Themas: Hunde allgemein, besondere Rassen, die Vorteile eines bestimmten Typs, Erziehung, Ernährung und hundert andere Dinge. Es gibt sogar Bücher, die genauso ausführlich nur von einer bestimmten Hunderasse handeln. Bücher mit gesammelten Gedichten über Hunde wurden veröffentlicht, und berühmte Persönlichkeiten haben über ihre eigenen Lieblinge geschrieben. Vieles über Hunde von Königen, Präsidenten und Filmstars ist allerdings oft eine Legende.

In der Erinnerung an Gespräche, die ich im Laufe der Jahre mit verschiedensten Leuten hatte, fällt mir auf, daß ich wirklich sehr wenige Menschen getroffen habe, die nicht irgendeine Geschichte über einen Hund, den sie gehabt oder gekannt hatten, zu erzählen wußten. War es keine eigene, kannten sie sicherlich jemanden, der eine zu erzählen vermochte. Sehr selten betrafen diese Erinnerungen unerfreuliche Ereignisse, weitaus die Mehrheit handelte von genau dem Gegenteil: Geschichten von überaus großer Hundeintelligenz, Ergebenheit und Verständnis. Vor allem schien es mir, daß die hervorragende Eigenschaft, die überall zur Sprache kam, die reine Freundschaft der Hunde zu den Menschen war. Diesen besonderen Gesichtspunkt der Beziehung zwischen Mensch und Hund versucht dieses Buch hervorzuheben. Es will nicht über den Umgang mit Hunden belehren oder auch nur beraten, sondern es läßt sie für sich selbst sprechen — haupt-

Links:
Altenglischer Schäferhund (Bobtail)

Oben:
Obwohl ohne Stammbaum ein sehr lebhafter und ansprechender Hund und offensichtlich ein großartiger Kamerad.

sächlich in schönen Bildern, die Ihnen die ansprechendsten Hunde zeigen. Das Buch will Ihnen Hunde als Persönlichkeiten nahebringen.

Wir geben bereitwillig zu, daß es mitunter vollkommenere Beispiele der einen oder anderen Rasse geben mag. In diesem Fall läge die Schuld nicht bei den Hunden, sondern bei uns. Es ist ernstlich zu hoffen, daß auch wir andere Menschen nicht länger allein aufgrund ihrer Rasse beurteilen. Ein Hund kann nicht mehr ändern, was er ist oder wie er aussieht, genau wie jedes andere Lebewesen auf der Welt — der Mensch eingeschlossen! Für jede Mutter ist ihr eigenes Kind wunderschön, und der häßlichste Hund, den man sich vorstellen kann, wird ohne Zweifel von seinem Herrn nicht weniger geliebt als der hoch prämiierte Champion von seinem Züchter. In diesem Sinn wollen wir Ihnen hier liebenswerte Tiere vorstellen.

Die Hunde haben sich mit dem Menschen angefreundet und alles für ihn gegeben, seit er die beherrschende Gattung wurde. Obwohl die Ursprünge der Beziehung zwischen Mensch und Hund so weit zurückliegen, ist es — für mich zumindest — überraschend, daß der Hund so viel erduldet hat und in seiner Treue immer noch nicht nachläßt — ganz im Gegenteil! Der Mensch scheint der Gesellschaft des Hundes nie müde geworden zu sein, und die

Oben links:
Dänische Dogge. Wenn man eine Dänische Dogge ausführt, könnte sich die Frage stellen: „Wer geht mit wem spazieren?“, da es wirklich ein großer Hund ist. Viele Jahre wurden die Doggen als Jagd- und Kampfhunde eingesetzt, aber sie können sehr liebevoll sein. Ob man einen so großen Hund auszubilden und zu füttern vermag, sollte man sich gut überlegen.

Links:
Spitz. Zu der Spitzfamilie gehört der Keeshond, Elchhund und Samojeden-Spitz. Sie werden heute vorwiegend als Haus- und Wachhunde gebraucht.

Rechts:
Shetland-Schäferhunde (Shelties)

Hunde ihrerseits sind immer anhänglich geblieben. Man könnte vermuten, daß diese Beziehung am Anfang aus gemeinsamen räuberischen Instinkten heraus entstand, nämlich andere Tiere zu jagen und zu töten, um sich Nahrung zum Leben zu verschaffen. Ohne Zweifel entstand die Kameradschaft erst später. Es ist auch fraglos, daß sich aus dieser Kameradschaft nach und nach echte Freundschaft entwickelte. Es gibt zu viele Beispiele dafür, daß Hunde ihr Leben riskierten und tatsächlich hingaben, um das Leben eines geliebten Herrn zu retten. Sicherlich waren in vielen Fällen diese Hunde nicht abgerichtet, so zu handeln, sondern taten es ganz instinktiv. Genauso gab es viele Gelegenheiten, bei denen Menschen ihr Leben für das eines Hundes aufs Spiel setzten. Mit Sicherheit verdeutlichen diese Fälle die Tiefe des Gefühls und die starken Bande der Anhänglichkeit zwischen Menschen und Hunden. Dies ist die ernste Seite der beständigen Mensch-Hund-Beziehung. Es gibt eine andere Seite, nämlich die reine überschwengliche Freude, die man einem glücklichen Hund mit einem liebevollen Herrn oft ansehen kann. Dieses Glück ist sicher am deutlichsten, wenn man einen kleinen Jungen oder ein kleines Mädchen mit einem Hund spielen sieht, als schöpften sie Kraft aus einem Brunnen ohne Boden, als hätten sie nie etwas von Müdigkeit gehört!

Hunde passen sich in bemerkenswerter Weise den Anforderungen oder Fähigkeiten ihrer Besitzer an. Vor nicht langer Zeit beobachtete ich einen älteren Herrn, der offensichtlich große Schwierigkeiten hatte, als er sich eine steile Straße in einem kleinen Dorf in Devon hinaufmühte. Sein Hund, von dem ich annahm, er sei auch recht alt, trottete in ähnlich mühsamer Weise mit. Wir unterhielten uns etwas, und ich war über-

Oben links:
Bluthund-Welpen

Links:
Basset Hound

Rechts:
Obwohl nur halb ein Setter und daher ohne Stammbaum, hat dieser Hund doch Würde und Anmut auf seine Art.

rascht zu erfahren, daß der Hund tatsächlich noch verhältnismäßig jung war. Der alte Mann erzählte mir, daß er in den letzten zwei oder drei Jahren zunehmend gehbehindert geworden sei; so hatte sich auch der Hund angewöhnt langsamer zu gehen, wie wenn er seine Sympathie ausdrücken und die Last seines Herrn mit ihm teilen wollte. Ich verglich diese Beziehung mit der meiner 12jährigen Tochter zu ihrem geliebten Yorkshire-Terrier „Farthing". Wegen seiner geringen Größe ist er denkbar schlecht geeignet, es mit ihrer grenzenlosen Energie aufzunehmen — doch er schafft es —, und er folgt ihr am Strand über riesige Felsbrocken, nur um bei ihr zu sein. Er würde — da habe ich keine Zweifel — ihr bis ans Ende der Welt folgen, wenn sie dorthin ginge.

Diese Geschichte erinnert mich an etwas, das vor vier Jahren geschah und das sehr gut veranschaulicht, wie die Gemeinsamkeit im Besitz von Hunden alle Unterschiede überbrücken kann. Wie Kinder eben so sind, fragte mich meine Tochter eines Tages, ob ich wüßte, wie viele Hunde Königin Elisabeth habe und ob ich deren Namen etwa kenne. Ich sagte: „Ich glaube, die Königin hat einige Corgis, aber ich habe keine Ahnung von deren Namen." Sie meinte, daß sie vielleicht der Königin schreiben und sie fragen werde. Ich erklärte ihr, daß die Königin wahrscheinlich sehr beschäftigt sei und daß sie vielleicht nicht die Zeit finden würde, ihr zu antworten. Unverdrossen setzte Andrea sich hin und schrieb der Königin. Sie erzählte ihr von ihrem eigenen Hund und erkundigte sich nach den Corgis Ihrer Majestät und besonders nach deren Namen. Das Ende der Geschichte ist sicher schon klar, denn

Rechts:
Glatthaarige Foxterrier-Welpen

Links:
Maremmaner Hirtenhund und Sheltie-Welpe. Nicht so massiv wie der Pyrenäen-Schäferhund, dem er gleicht, ist der Maremmaner Hirtenhund einer der beliebtesten italienischen Hirtenhunde.

Rechts:
Bluthund-Welpe

tatsächlich lag einige Tage später ein Brief ohne Briefmarke in unserem Briefkasten, adressiert an Andrea. Bis zu diesem Augenblick war mir nie eingefallen, daß die Königin natürlich nicht nötig hat, Briefmarken auf ihre Briefe zu kleben. In dem Umschlag lag ein Bogen mit dem königlichen Wappen: „Liebe Andrea, die Königin hat mich beauftragt, Dir für Deinen Brief zu danken und ich soll Dir auf Deine Fragen sagen, daß die Königin vier Corgis hat, die Heather, Buzz, Tiny und Brush heißen."

Die große Mehrheit aller Hunde wird natürlich einfach als Haushund gehalten. Es ist jedoch erstaunlich, daß es heutzutage auch so viele verschiedene Gelegenheiten gibt, bei denen der Hund dem Menschen echte Dienste leistet. Die für meine Begriffe romantischste derartige Beziehung ist die enge Zusammenarbeit des Schäfers mit seinem Hund, der scheinbar ohne besondere Anstrengung eine Schafherde vollkommen sicher überwacht. Ich weiß, daß in Wirklichkeit nichts Romantisches dabei ist, sondern daß es um harte Arbeit geht. Aber es liegt eine fast poetische Qualität in der Meisterschaft dieses Handwerks, das auf die meisten Menschen eine große Faszination ausübt.

Zweifellos wird die Technik eines Tages den Einsatz von Hunden als Blindenführer zu einem Relikt aus der Vergangenheit machen. Wenn sie das schwierige Leben der blinden Menschen bequemer und leichter gestaltet, wäre dies natürlich zum Besten. Bis jedoch ein solcher Durchbruch stattfindet, wird es viele Menschen geben, die weiterhin in ihrem Hund nicht nur einen großen Wert für ihr tägliches Leben sehen, sondern die auch fühlen, daß sie ständig einen Kameraden an ihrer Seite haben, dessen Hauptsorge ihr Wohlergehen ist.

Oben links:
Deutscher Schäferhund

Unten links:
West Highland White Terrier

Rechts:
Bobtail

Hunde werden immer nach besten Kräften das, was sie als ihr Heim oder Revier betrachten, gegen Eindringlinge verteidigen. Von dieser natürlichen Eigenschaft wird bei der Ausbildung von Wachhunden Gebrauch gemacht. Trotz aller modernen Anlagen, die heute zu haben sind, wird immer noch sehr auf den Wachhund vertraut, wenn es um den Schutz des Eigentums geht. Viele Leute, besonders alleinstehende, schlafen ruhiger in dem Wissen, einen Hund im Haus zu haben, auch wenn dieser keine besondere Ausbildung genossen hat.

Das Militär und auch die Polizei setzt Hunde noch immer in großem Maße ein. Es gibt Spürhunde für Rauschgift und Sprengstoff und zur Auffindung von Trüffeln. Dies verschafft ihnen einerseits den Dank der Gesetzeshüter, andererseits den der Feinschmecker!

Links:
Labrador Retriever und Welpen

Oben:
Spaniels

Rechts:
Deutsche Schäferhunde

Wie wir alle wissen, bedroht der Hunger heute ungezählte Menschen. In diesem Zusammenhang wird öfters die Frage aufgeworfen, ob es sich noch verantworten lasse, ungezählte Hunde mit Lebensmitteln zu ernähren, die anderswo den hungernden Völkern fehlen. Darüber mag man denken, wie man will. Jedenfalls sorgen sich viele Leute wegen der steigenden Zahl von Hunden aus einem anderen Grund, nämlich weil sie der Ansicht sind, es schade den Hunden, daß man sie so leicht erwerben könne.

Daß jeder Welpe, gleich welcher Rasse, so anziehend wirkt, führt unvermeidlich zu Impulskäufen, besonders an Zeiten wie Weihnachten. Allzuoft scheint es, daß die Freuden, Hundebesitzer zu sein, nur so lange wie die Ferien dauern. Sobald man merkt, daß Hundebesitzer

Links:
Englische Setter

Oben rechts und unten:
Irische Setter

sein mehr heißt, als einfach nur mit einem Hundekind zu schmusen, werden die unglücklichen Kreaturen entweder auf die Straße, oder noch schlimmer, weit entfernt ausgesetzt, wo sie in das Heer der Streuner eintreten. Wie die richtige Antwort hierauf sein könnte, weiß ich nicht. Vielleicht gibt es so viele Antworten, daß es schwer wäre, die richtige auszuwählen. Es sollten jedoch gewisse Mindestforderungen an Käufer sowie Verkäufer gestellt werden, um diese Mißstände zu verhindern.

Eingangs erwähnte ich, daß viele, die ich getroffen habe, eine Lieblingsgeschichte über einen Hund wußten. Vielleicht überrascht es Sie nicht, daß ich durch den Umgang

Rechts und oben links:
Deutsche Schäferhunde

Unten:
Corgis

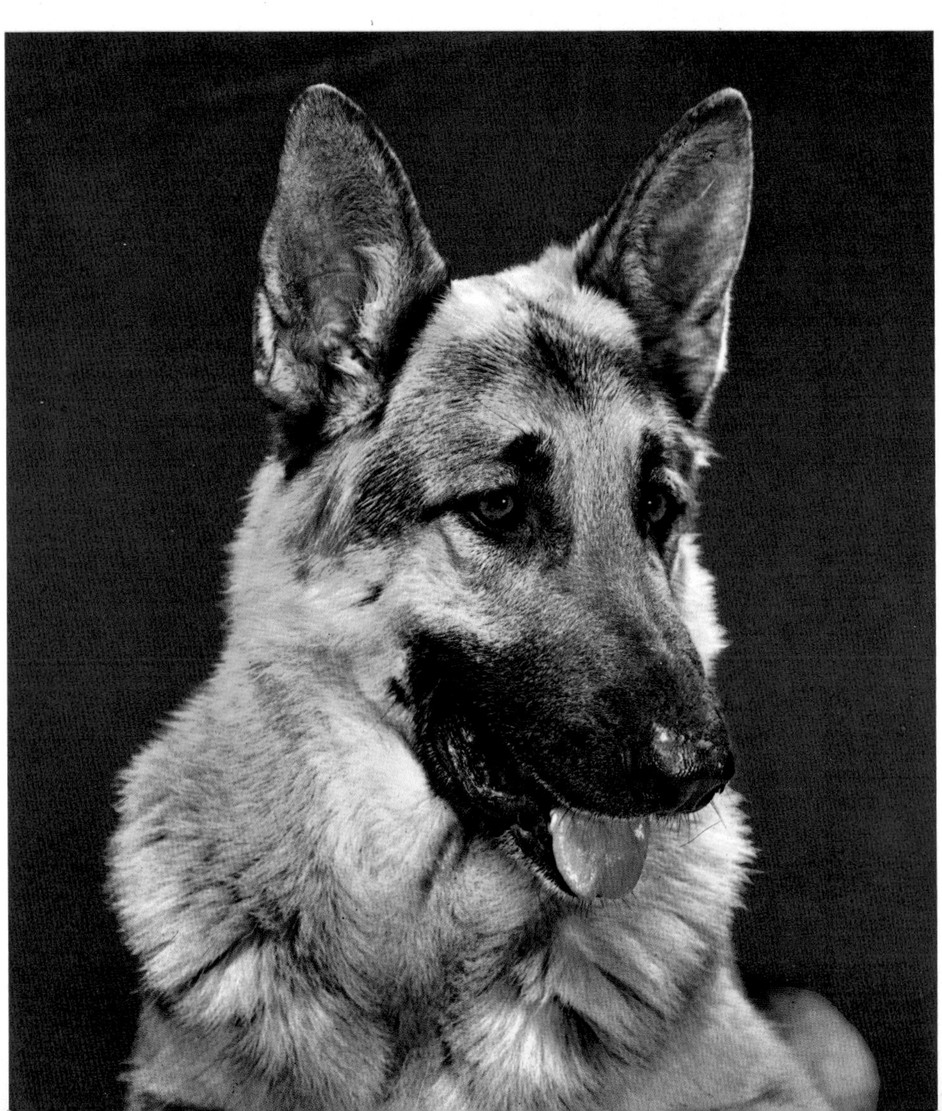

mit Hunden seit meiner Kindheit auch selbst einige solche Geschichten erzählen kann. In meiner Jugend waren immer Hunde um mich, und natürlich liebte ich sie alle. Aber nur einmal hatte ich das Gefühl, einen Hund zu haben, der mir wirklich gehörte. — Vor vielen Jahren — es scheint mir wie ein ganzes Leben oder auch erst wie gestern, soviel Zeit ist vergangen und doch ist die Erinnerung so frisch in meinem Gedächtnis — hatte ich einen Hund namens Ben. Es war während des Krieges, und ich lebte mit meiner Mutter in einem kleinen, fast ver-

Oben links:
Bulldoggen

Oben rechts:
Corgi

Unten links:
Deutscher Schäferhund

Unten:
Bluthunde

lassenen Dorf an der Küste von Yorkshire. Es muß Januar und einer der bitter kalten Winter mit tiefem Schnee und klirrendem Frost gewesen sein. Der Wind wollte durch alles hindurchschneiden. Es schien noch kälter zu sein, weil so wenig Menschen dort lebten. Der einzige gute Aufenthaltsort war im Haus vor einem warmen Feuer. Warum ich mich, damals 12 Jahre alt, drau-

Links:
Englische Setter

Oben:
Bulldoggen. Obwohl sie einst zur Stierhetze eingesetzt wurden, sind sie sehr gutmütig und anhänglich. Die Bulldogge scheint sehr unter den Händen der Züchter gelitten zu haben, ihre Schnauze ist so platt, daß sogar das Atmen schwer fällt.

Rechts:
Saluki oder Gazellenhunde. Persische Windhunde, die bei der Jagd ihre Beute eher sehen als wittern. Die Vorfahren der Salukis sind bis über 5000 Jahre zurückzuverfolgen. In Deutschland wurden sie erst zu Beginn unseres Jahrhunderts bekannt.

ßen aufhielt, weiß ich nicht mehr, aber ich kam von irgendwoher zurück und hatte fast das Gartentor erreicht, als ich einen großen, eher unförmigen Hund sah. Er trottete mühselig mitten auf der Straße auf mich zu. Sogar im Dunkeln konnte ich sehen, daß er in einem erbarmungswürdigen Zustand war, ungepflegt, sichtlich hinkend, ganz so, als hätte er das Ende seiner Kräfte erreicht. Als er näher kam, sah ich, daß er wahrscheinlich ein Bobtail war, obwohl das nicht ganz einfach war. Hinter unserem Haus lagen nur noch der Park und die Klippen vor dem Meer, und ich fragte mich, wohin er wohl wollte. Wie gesagt, es war ein kleines Dorf und sehr wenige Menschen lebten dort. Ich war sicher, diesen Hund hier vorher nie gesehen zu haben. Als er näher kam, sprach ich ihn an. Er kam sehr langsam zu mir und sah mich nur an. Von dem Augenblick an war er immer an meiner Seite, bis er fast zwei Jahre später an Altersschwäche starb. Zunächst nahmen wir ihn für die Nacht ins Haus, weil er draußen wahrscheinlich gestorben wäre. Aber als er im Haus war und als wir seine vereisten Pfoten und sein struppiges Fell sahen, fragte ich,

Links und oben:
Yorkshire-Terrier (ausgewachsen und Welpe). Wie sein Name sagt, stammt dieses Mitglied der Terrierfamilie aus Yorkshire. Wegen seiner geringen Größe und seiner lebhaften, typischen Terrierpersönlichkeit wird er als kleiner Familienhund immer beliebter.

Oben:
Dalmatiner, auch Dalmatier oder Bengalische Bracke genannt.
Der Dalmatiner war zu Beginn des letzten Jahrhunderts bereits in Südeuropa bekannt, besonders als Begleitung von Postkutschen, da er Pferde sehr liebt und meilenweit unter der Kutsche lief. Ein großer Kamerad, aber ein Hund, der sehr viel Auslauf braucht, um glücklich zu sein.

Rechts:
Bernhardinerwelpe

ob ich ihn behalten und gesund machen dürfte. Wir entkrusteten seine Pfoten und schafften ihn dann irgendwie nach oben in ein Bad. Er wehrte sich nicht. Er schien anzunehmen, daß wir alles taten, um ihm zu helfen. In den nächsten Wochen erholte er sich allmählich. Der Frühling kam und niemand holte ihn ab oder wußte irgend etwas von ihm. Seine Herkunft blieb ein Geheimnis. Er wurde mein Hund und ich nannte ihn Ben. Es gab nie einen Zweifel, daß er mein Hund war. Er folgte mir überallhin, manchmal unter großen Schwierigkeiten, da er schon damals ziemlich alt war. Meine Freunde akzeptierten ihn. Wenn wir über Zäune stiegen, die er nicht bewältigen konnte, wartete er geduldig, bis wir ihn umständlich herübergehoben hatten. Er war ein großer und breiter Hund. Als wir ihn eines Tages in der sehr kleinen Vorratskammer entdeckten, war er zu breit, um sich umzudrehen und wieder herauszukommen. Schließlich schob er sich rückwärts heraus, mit unschuldigem Blick und Cremekuchen im ganzen Gesicht. Als ich wußte, daß er sterben würde, tröstete ich mich mit dem Gedanken, daß wenigstens die letzten zwei Jahre seines Lebens glücklich gewesen waren. Er hatte die ganze Zuneigung zurückgegeben, die wir ihm entgegengebracht hatten.

Es bleibt nun nur noch, die Hunde dieses Buch übernehmen zu lassen, und das können sie mit wenig Hilfe. Sicher fehlt manche Lieblingsrasse, aber dies ist leider unvermeidlich. Eine Auswahl mußte getroffen werden, und wir haben versucht, diese Wahl so abwechslungsreich und interessant wie möglich zu gestalten. Wir hoffen, daß es uns gelungen ist.

Oben und links:
Pekingesen, nach der chinesischen Hauptstadt Peking benannt, wo man sie viele Jahrhunderte als Hof-Hunde hielt. Der Pekingese verdient seinen Ruf als Schoßhündchen kaum, denn er ist ein sehr lebhafter, geselliger kleiner Hund.

Unten:
Deutsche Schäferhunde. Der berühmte Deutsche Schäferhund ist der Mustertyp des Helden. Die Rasse wurde seit Rin-Tin-Tin in unzähligen Filmen verherrlicht. Der Schäferhund sieht nicht nur tapfer aus, sondern er hat bei Polizei und Militär in der ganzen Welt seinen Wert bewiesen. Obwohl der Schäferhund einen mächtigen und wirksamen Schutz bedeutet, ist er zu Recht auch ein beliebter Haushund, bekannt für seine Treue und lebhafte Intelligenz.

Oben:
Zwei herrliche Englische Setter genießen die Ruhe und den Frieden eines alten englischen Gartens.

Doppelseite:
Boxer und Welpen. Der Boxer verdankt, wie aus seinen Zügen ersichtlich, einen Teil seines Aussehens der Bulldogge. Ursprünglich in Deutschland gezüchtet, ist der Boxer in England, wo es verboten ist, seine Ohren zu kupieren, sehr beliebt. Vielleicht, weil er trotz seiner stürmischen Natur einen sehr guten Familienhund abgibt und Kinder besonders gut leiden mag.

Rechts:
Englischer Setter. Ein sehr „englischer“ Hund, wie man ihn auf Landgütern zu sehen erwartet. Er gehört zu einer sehr alten Rasse, die vom Spaniel mit Einkreuzung von Pointern stammt.

Oben:
Bernhardiner

Unten:
West-Highland-Terrier. Bemerkenswert ist es, daß dieser lebhafte und anhängliche Hund aus den weißen (und daher unerwünschten) Welpen der Cairn-Terrier gezüchtet wurde. Jetzt als Rassehund anerkannt und ein sehr guter Familienhund.

Oben:
Pudel. Der Schnitt, der viele dieser Hunde ziert, hat einen praktischen Zweck. Als die Pudel noch als Wasser-Jagdhunde eingesetzt wurden, war es nötig, einen großen Teil des Fells abzuschneiden, um ihnen das Schwimmen zu erleichtern. Um die Gelenke zu schützen, wurde jedoch an den Beinen und um den Brustkorb das Fell lang gelassen.

Oben:
Collie. („Lassie“ für viele Kinder, die sich an ihre Filme und Abenteuer erinnern.) Der Collie stammt aus Schottland und hat eine lange Geschichte als Schäferhund. Er ist sehr würdevoll, hochintelligent und, wenn ordentlich gepflegt, eine prächtige Erscheinung.

Links:
Bluthunde. Im Jahre 1066 kam der Bluthund zusammen mit William dem Eroberer nach England. Hauptsächlich wurde dieser Hund zur Jagd gebraucht, aber seine ausgezeichneten Fähigkeiten im Finden von Fährten führten dazu, daß er von der Polizei als Spürhund eingesetzt wurde.

Rechts:
Irische Setter. Diese wunderschönen. Hunde wurden zuerst in Irland als Jagdhunde gezüchtet. Die satte goldrotbraune Farbe ist ein hervorstechendes Merkmal dieser Rasse.

Unten:
Chihuahua. Dieser intelligente kleine Hund hat für ein so kleines Tier einen sehr stark entwickelten Jagdinstinkt. Er teilt mit vielem aus Südamerika das Geheimnis seines Ursprungs. Einige Leute vermuten, daß er ein heiliger Hund der Azteken war, andere nehmen an, daß er wild lebte und von den Indianern domestiziert wurde. Seine geringe Größe schließt zwar die Möglichkeit aus, Eindringlinge abzuschrecken, doch ist er sehr mutig und kann den Alarm bestimmt auslösen.

Oben:
Dackel (Welpen). Unverhältnismäßig kurze Beine zur Körperlänge und Rute sind die deutlichsten Merkmale ihrer Rasse. Die Dackel sind vortreffliche kleine Haushunde und normalerweise sehr fröhlich und anhänglich. Sie teilen allerdings mit dem Basset die Eigenschaft, ziemlich ungehorsam zu sein.

Rechts:
Glatthaariger Foxterrier (Welpen) Eine der ältesten englischen Terrier-rassen. Die Bezeichnung kommt von Terra = Erde, und genau hierfür war diese Rasse bekannt: Füchse aus ihrem Bau zu treiben. Terrier waren als Rattenfänger sehr erfolgreich, sie sind außerdem sehr lebhafte und liebevolle Haushunde.

Doppelseite:
Englische Springer-Spaniel-Welpen

Unten:
Cairn-Terrier. Ein zäher kleiner Hund, benannt nach den Hügelgräbern (cairns) des schottischen Hochlands, woher die Rasse stammt. Der Cairn-Terrier hat wahrscheinlich die gleichen Vorfahren wie der Scotch-, Skye- und West-Highland-White-Terrier.

Rechts:
Altenglischer Schäferhund. Auch bekannt als „Bobtail", da sein Schwanz nur ein Stummel ist. Der Bobtail ist mit seinem langen, dichten Fell einer der malerischsten Hunde. Seine Augen sind fast ganz verdeckt. Einer der ältesten englischen Schäferhunde und ein idealer Familienhund.

Oben:
Shetland-Schäferhunde (Shelties). Das Shetlandpony und die Shetlandschafe sind kleine Tiere, und der Shetland-Schäferhund setzt diese Tradition fort. Als Arbeitshunde gezüchtet, werden sie immer noch zu diesem Zweck gebraucht, obwohl man sie jetzt auch häufig als Haus- oder Schauhunde sieht.

Links:
Labrador-Retriever. Wegen seines ruhigen Temperaments, seines Gehorsams, seiner Zuverlässigkeit wird er als idealer Blindenhund angesehen. Dies ist wahrscheinlich die größte Leistung, die ein Hund vollbringen kann, und diese spezielle Rasse erfüllt diese Aufgabe in bewunderungswürdiger Weise.

Rechts:
Golden Retriever

Links oben:
Welsh-Springer-Spaniel. Vor nicht langer Zeit wurde dieser Hund außerhalb seines Heimatlandes Wales nur selten gesehen. Wie alle Spaniels ist er ein genauso guter Gelände- wie Haushund.

Unten links:
Bearded („Bärtiger") Collie, er verdankt den Namen seinem lustigen Spitzbärtchen. Wahrscheinlich hat der Bobtail in seiner Ahnenreihe auch diese Rasse.

Unten:
Cockerspaniels. Spaniels scheinen immer einen traurigen Ausdruck zu haben, aber in Wirklichkeit sind sie sehr fröhlich. Eine sehr alte englische Züchtung, einst hauptsächlich als Jagdhund eingesetzt, heute jedoch als Familienhund sehr beliebt geworden. Sein Temperament ist hierfür bestens geeignet.

Doppelseite:
West-Highland-White-Terrier (Welpen)

Unten:
Dieses Bild junger Bassets zeigt besonders deutlich das charakteristische Merkmal dieser Rasse: die langen Hängeohren.

Rechts:
Beagle-Welpen. Der Beagle ist in England oft bei Fuchsjagden zu sehen. Wegen seiner Größe und freundlichen Natur ist er als Haushund sehr beliebt, aber man sollte nicht vergessen, daß er ein echter Jagdhund ist und sehr viel Auslauf braucht.

Unten:
Bernhardiner. Beliebt bei Karikaturisten, ist der große, liebenswerte Bernhardiner mit seinem lebensrettenden Schnapsfäßchen mehr als nur eine Legende. Es gibt viele Leute, die ihm ihr Leben verdanken, besonders in der Schweiz, dem Heimatland dieser Hunde, wo sie heute zur Suche nach Lawinenopfern eingesetzt werden.

Oben rechts:
Chow-Chow. In seinem Heimatland, in China, wurde der Chow-Chow einst als Nahrungsquelle gesehen, sowie auch als Wach- und Jagdhund gebraucht. Sicher die Höhe der Undankbarkeit.

Unten rechts:
Golden Retriever. Wie der Name sagt, sollte dieser Hund weder zu hell noch zu dunkel sein, sondern von satter goldener Farbe. Er genießt hohes Ansehen als Geländehund und bewährt sich wegen seiner Intelligenz ausgezeichnet bei Gehorsamsprüfungen.

Unten:
Junger Pudel. Ein sehr beliebter Haushund, einst zur Wasserjagd eingesetzt. Sein überreichliches, wolliges Fell führte zu einer Vielzahl von Schurtechniken und Formen, die dem Hund einen geckenhaften Ruf gegeben haben; ein Anschein, welcher der wahren Natur dieses Hundes nicht entspricht.

Oben:
Zwei bezaubernde kleine Terrier-Welpen, aufmerksam und sehr zu Streichen aufgelegt.

Oben links:
Corgi

Links:
Basset Hound. Voll ausgewachsen ist er wegen seiner Form leicht ein Opfer von Witzzeichnern. Der lange Körper und die kurzen Beine stehen in sonderbarem Kontrast zu dem würdevollen Kopf.

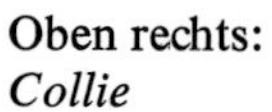

Oben rechts:
Collie

Unten rechts:
Corgi. Der Welsh Corgi, Cardiganshire und Pembrokshire haben ihren gemeinsamen Ursprung in Wales. Eigentlich als Arbeitshunde gezüchtet, sind sie heute sehr beliebt als Haushunde — zweifellos auch aufgrund ihrer königlichen Schirmherrschaft.

Unten:
Pyrenäenhund. Einst als königlicher Hund Frankreichs bekannt, stammt diese Rasse vielleicht vom uralten tibetanischen Mastiff ab. Trotz seiner Größe ist er nicht aggressiv und sehr lieb zu Kindern.

Gegenüber:
Ein intelligenter und treuer kleiner Terrier mit großem Mut und nicht weniger Eigensinn! Der Sealyham kann seine Ahnen bis zu Kapitän John Edwards Zeiten zurückverfolgen. Dieser brauchte einen kleinen Terrier zum Jagen und Töten von Ratten und Mäusen und machte sich daran, einen solchen zu züchten. Das Ergebnis, der Sealyham-Terrier, ist besonders in Amerika sehr beliebt.

Rechts und unten:
Die Ausdrücke „Kreuzung“ und „Promenadenmischung“, mit denen man diese aufmerksamen und reizenden Hunde bezeichnen kann, sollten nicht unbedingt als Herabsetzung gesehen werden. Die meisten Hunderassen wurden irgendwann in ihrer Ahnenreihe einmal gekreuzt, und wenn sie von ihren Besitzern geliebt werden und diese Liebe gleichermaßen erwidern, dann braucht über ihre Ahnen nichts mehr gesagt zu werden.

Unten:
King-Charles-Spaniels. So benannt aufgrund der Liebe König Charles' zu dieser Rasse und auf vielen Gemälden des Monarchen zu sehen. Es ist eine sehr britische Rasse, die selten anderswo zu finden ist. Es gab in England die Bestrebung, diese liebenswerten Hunde in „Englischer Zwergspaniel" umzubenennen, aber dies wurde wieder aufgegeben und man kennt sie noch immer unter ihrem ursprünglichen Namen.

Unten:
King-Charles-Spaniel-Welpen

Oben:
Der sehr beliebte und gutmütige Golden Retriever, in vielen Ländern als Arbeits- und Schauhund geschätzt, mit drei Welpen derselben Rasse.

First published in Great Britain 1976
by Colour Library International Ltd.
New Malden, Surrey, Great Britain

 — Printed in the Netherlands